JOHANN SEBASTIAN BACH

CANTATA

Lobe den Herren, den mächtigen
König der Ehren
Praise ye, Almighty God, King and
our Ruler exalted
for 4 Solo Voices, Chorus and Chamber Orchestra
BWV 137

Edited by / Herausgegeben von
Hans Grischkat

Ernst Eulenburg Ltd
London · Mainz · New York · Tokyo · Zürich

English translation by Henry S. Drinker

Aufführungsdauer:
Duration: 17 (4, 3¾, 4½, 3¼, 1) Min.

J. S. BACH, KANTATE 137

„Lobe den Herren, den mächtigen König der Ehren"

Bach legt der Kantate «Lobe den Herren, den mächtigen König der Ehren» in allen Sätzen Melodie und Text des gleichnamigen Chorales zugrunde. So entstand ein kraftvolles, festliches Werk von knapper Ausdehnung, das noch viel größere Beachtung von seiten der Chorleiter finden sollte.

Im Einleitungs-Chor erscheint der Cantus firmus im Sopran, während die drei unteren Chorstimmen ihn ohne Anlehnung an die Choralmelodie fugiert unterbauen. Das Thema dieser drei Chorstimmen verwendet Bach — leicht verändert — auch im Orchestersatz. Doch nur drei von den insgesamt fünf Choralzeilen hat er in dieser Weise behandelt. Überraschenderweise werden nämlich die dritte und vierte Zeile «Kommet zu Hauf, Psalter und Harfe wacht auf» nicht fugiert, sondern als einfacher Choralsatz in mächtigen Akkorden gebracht. Es ist einer der seltenen Fälle, in denen Bach in einem Choralchor um der Darstellung eines einzelnen Begriffes willen — das «Zu-Hauf-Kommen» — von seiner musikalischen Grundkonzeption abweicht. Vers 2 wird als Alt-Arie mit Solovioline durchgeführt. Die kolorierte Choralmelodie liegt im Alt, die Violine umspielt sie mit lebhaften Figurationen. Dieses Stück wurde von Bach auch für Orgel übertragen und mit dem Titel «Kommst du nun, Jesu, vom Himmel herunter» als Nummer 6 in die sogenannten «Schüblerschen Choräle» aufgenommen. Dabei bringt die Orgelübertragung interessanterweise im zweiten Takt eine Veränderung und Verbesserung des Originals. Vers 3 ist ein Duett für Sopran und Baß mit Begleitung von zwei Oboen. Mannigfaltig sind in diesem ernsten Stück die Zusammenhänge der Singstimmen mit der Choralmelodie. Zu Beginn ist die nach Moll versetzte und erweiterte erste Choralzeile noch deutlich zu erkennen, doch hat sie auch die Melodiebildungen zu den Worten «In wieviel Not hat nicht der gnädige Gott ...» stark beeinflußt.

Lag den Versen 2 und 3 die *abgewandelte* Choralmelodie zugrunde, so tritt sie in Vers 4 wieder *unverändert* als instrumentaler Cantus firmus in der Trompete auf. Diesem wird in Singstimme und Generalbaß eine selbständige Motivik gegenübergestellt. Die stärkste Ausdruckskraft liegt in dem Satz nicht in der Singstimme, sondern in dem ostinatoartigen, majestätisch herrischen Continuo. Im siebenstimmigen, harmonisch sehr einfach gehaltenen Satz mit den drei Trompeten über dem vierstimmigen Chor schließt die fünfte Strophe die Kantate würdig ab. Diesen Schluß-Choral hat Bach — mit geringfügigen Änderungen, nach D-Dur transponiert — noch ein zweites Mal in seiner unvollständig erhaltenen Trauungskantate «Herr Gott, Beherrscher aller Dinge» (BWV 120a) verwendet.

Es sind uns von Bach nur insgesamt zehn Kantaten überliefert, in denen er auf die üblichen Textdichtungen verzichtet und allen Sätzen den unveränderten Text der Choralstrophen zugrunde legt. Außer der vorliegenden Kantate sind es

    Nr.   4 «Christ lag in Todesbanden»,
    Nr. 97 «In allen meinen Taten»,

Nr. 100 «Was Gott tut, das ist wohlgetan»,
Nr. 107 «Was willst du dich betrüben»,
Nr. 112 «Der Herr ist mein getreuer Hirt»,
Nr. 117 «Sei Lob und Ehr dem höchsten Gut»,
Nr. 129 «Gelobet sei der Herr, mein Gott»,
Nr. 177 «Ich ruf zu dir, Herr Jesu Christ»,
Nr. 192 «Nun danket alle Gott».

Wir können heute nicht mehr feststellen, ob Bach der Verzicht auf die freien Textdichtungen für die Arien und Rezitative als Notbehelf erschien. In der Bachliteratur finden wir immer wieder Hinweise auf die Problematik dieses Verfahrens. So schreibt Spitta in seiner Bachbiographie Band II Seite 289: «Daß eine solche Behandlung des Kirchenliedes und der Choralmelodie ihr bedenkliches hat, konnte indessen dem Meister auf die Dauer nicht verborgen bleiben. Wenn er auch durch mehrere Jahre von Zeit zu Zeit wieder auf sie zurückkam, so ergibt ein Blick auf seine spätere Tätigkeit als Kantatenkomponist doch, daß wir in den eben beschriebenen Kantaten Übergangs- oder abschweifende Bildungen zu erkennen haben, jenseits deren eine vollkommenere Form lag.» Auch Alfred Heuss schreibt in seiner Einführung zu der Kantate im Kieler Bachfestbuch 1930 Seite 59: «Man kann sagen, daß Bach experimentierte, sei's aus diesem oder jenem Grunde, und zwar mit dem Ergebnis, daß er von dieser Art der Kantatenkomposition wieder abkam. Sie besteht zur Hauptsache darin, daß Bach das ganze Kirchenlied bei Wahrung des Textes durchnimmt, wobei die betreffende Melodie mehr oder weniger in dieser und jener Art benutzt wird. Die Kirchenliedstrophe vertritt also auch den Arientext — Rezitative fehlen —, was aber die Rechnung doch nur in selteneren Fällen ganz aufgehen läßt, denn Lied- und Arientext sind nun einmal etwas ganz Verschiedenes im gegensätzlichen Sinne, ein Gegensatz, der sich auch in der Komposition selbst eines Bach auswirken mußte, abgesehen davon, daß die sowohl durch Text wie Melodie gefesselte Phantasie nicht in jener Freiheit sich ergehen konnte, die zu Bachs Wesen gerade für die Arienkomposition gehört. Die affektvolle und bilderreiche Sprache jener Zeit entspricht nun einmal einem Bedürfnis Bachs.»

Trotz all dieser Bedenken möchte ich aber darauf hinweisen, daß gerade für unsere heutige Zeit diese zehn sich streng an einen Choraltext haltenden Kantaten von besonderer Wichtigkeit sind; denn gerade die freien Textdichtungen mit ihren immer wieder erwähnten Schwächen und Geschmacklosigkeiten stehen ja heute der Verbreitung einzelner Kantaten besonders hemmend im Wege. Und die Bindung an den Choraltext scheint mir gerade in der vorliegenden Kantate «Lobe den Herren» für Bach keineswegs eine Fessel gewesen zu sein; ich möchte viel eher annehmen, daß es für ihn eine reizvolle Aufgabe war, zur Bindung an den Choraltext auch die Bindung an die Melodie auf sich zu nehmen und eine fünfteilige Choralkantate mit freier Benutzung der Choralmelodie so zu schaffen, daß diese in allen Teilen teils vokal, teils instrumental, einmal unverändert, dann wieder ausgeziert oder auch nur in Anklängen gegenwärtig ist.

Die Kantate wurde erstmalig im Jahre 1881 von Wilhelm Rust in Band XXVIII der Alten Bachausgabe veröffentlicht. In der Neuen Bachausgabe liegt sie bis heute noch nicht vor. Für unsere Taschenpartitur-Ausgabe wurden die Originalstimmen — die Originalpartitur ist nicht erhalten — noch einmal eingehend zu

Rate gezogen. Die Stimmen befinden sich im Besitz der Thomasschule Leipzig, zur Zeit in Verwahrung des Bach-Archivs Leipzig. Dem Archiv sei auch an dieser Stelle für die Unterstützung bei der Benutzung der Handschriften Dank gesagt.

Spitta datiert die Kantate (Band II Seite 286) in das Jahr 1732. Wilhelm Rust widerspricht im Vorwort der Alten Bachausgabe Seite XXI dieser Auffassung ausdrücklich und nennt für die Entstehung die Jahre zwischen 1742 und 1747. Nach neueren Forschungen, die Alfred Dürr im Bach-Jahrbuch 1957 auf den Seiten 82 und 118 veröffentlicht, entstand die Kantate im Jahre 1725 und wurde am 12. Sonntag nach Trinitatis, dem 19. August, von Bach erstmalig aufgeführt. Eine spätere Wiederaufführung zwischen 1744 und 1750 ist durch den weiter unten erwähnten Eintrag in der Stimme der Oboe I in Bachs Spätschrift verbürgt. Über eine Verwendung des Werkes als Ratswahlkantate, die immer wieder in der Bachliteratur erwähnt wird, konnte ich nirgends authentische Angaben finden.

Über Einzelheiten der Revision dieser Taschenpartitur-Ausgabe sei im folgenden berichtet:

Einleitungs-Chor (Vers 1)

In der Originalstimme der Violine I heißt die vierte Note in Takt 27 f, im Paralleltakt 54 d. Während die Alte Bachausgabe in beiden Takten — die ja in allen anderen Stimmen vollkommen gleichlauten — das d bringt, wurde in unsere Taschenpartitur in beiden Takten das f übernommen. Daß die Stimme im selben Takt 54 als fünfte Note e statt d bringt, ist zweifellos ein Schreiberversehen, das schon in der Alten Bachausgabe stillschweigend richtiggestellt wurde.

In Takt 19 der Oboe II stehen nach der Originalstimme 3 Viertelnoten; im Paralleltakt 46 bringt die Stimme aber sinnvoller zu Beginn eine Achtelnote mit nachfolgender Achtelpause. Diese Fassung wurde, wie schon in der Alten Bachausgabe, auch für Takt 19 übernommen.

In Takt 85 der Violine II heißt die letzte Note in der Originalstimme fälschlich a statt g, ein Fehler, der schon in der Alten Bachausgabe verbessert wurde.

Eine Anzahl stillschweigend verbesserter, offensichtlicher Schreibfehler der Originalstimmen seien noch erwähnt: Takt 14, Violine II: sechste Note a statt c. — Takt 24, Violine II: letzte Note c statt d. — Takt 25, Alt: dritte Note cis statt c. — Takt 51, Viola: vorletzte Note a statt g. — Takt 51, Continuo: Bezifferung der vierten Note ♮ statt 6.

Alt-Arie (Vers 2)

Die Bögen in der Continuostimme sind in den Vorlagen an einigen Stellen vieldeutig. In all diesen Fällen habe ich mich für die Lesart der Bögen über drei Achtel entschieden, während die Alte Bachausgabe den Bogen nur über zwei Achtel führt.

Duett (Vers 3)

Der Wechsel zwischen der Textfassung «gnädig» und «gütig» — letztere Fassung eindeutig in den Takten 94 und 95, sonst überall «gnädig» — ist auffallend, mag aber in der Absicht Bachs gelegen haben.

Tenor-Arie (Vers 4)

Bei der Erstaufführung der Kantate hat Bach den instrumentalen Choral der ersten Trompete zugeteilt. Nun enthält aber die Stimme der Oboe I als Nachtrag von der Hand Bachs diesen Choral zur Begleitung der Arie. Die Handschrift zeigt, wie Georg von Dadelsen in seinem Werk «Beiträge zur Chronologie der Werke Johann Sebastian Bachs» Seite 117 nachweist, die typischen Züge der Bachschen Spätschrift in der Zeit zwischen 1744 und 1749, so daß dieser Nachtrag ein Beweis für die Wiederaufführung der Kantate in diesen Jahren ist. Warum Bach bei dieser Wiederaufführung den Choral nicht auf der Trompete, sondern auf der Oboe blasen ließ, ist nicht feststellbar. War es nur ein Notbehelf, weil sein Trompeter in diesen Jahren nach dem anspruchsvollen Einleitungs-Chor diese Arie nicht mehr bewältigte? Oder war es eine Änderung seiner Intentionen ohne einen solchen äußerlichen Anlaß?

Schluß-Choral (Vers 5)

Bach hat bei der Wiederverwendung des Schluß-Chorals in der Trauungskantate «Herr Gott, Beherrscher aller Dinge» in Takt 11 auf dem letzten Viertel und in Takt 12 die drei unteren Stimmen des Chores geändert. Rust übernahm in der Alten Bachausgabe diese geänderte Fassung auch für die vorliegende Kantate. Ich konnte mich dazu nicht entschließen, sondern habe für unsere Taschenpartitur-Ausgabe die ursprüngliche Fassung dieser beiden Takte belassen.

Hans Grischkat

Allgemeines zur Editionstechnik der Bach-Kantaten

Bei den vorliegenden Taschenpartituren handelt es sich um eine Veröffentlichung für die Praxis, nicht um eine wissenschaftliche Ausgabe. Darum werden die Chorstimmen im Violin- bwz. oktavierenden Violin- und Baß-Schlüssel notiert. Verschiedenheiten der äußeren Schreibform (♪ ♪ ♪ neben ♪ ♪ ♪ u. ä.) werden, ohne im einzelnen darüber zu berichten, vereinheitlicht.

Artikulationsbögen und Verzierungen, die aus Analogiegründen gesetzt werden sollten, werden in Klammern hinzugefügt.

Die Versetzungszeichen (♯ ♭ ♮) werden nach heutigem Brauch verwendet. Lediglich die Wiederholung eines in einem Takt mehrmals vorkommenden Versetzungszeichens wird, da auch für die Praxis ratsam, vielfach übernommen.

Bei der Wiedergabe der Texte wird die heutige Rechtschreibung gewählt, daneben aber weitgehend auf die Beibehaltung alter Wort- und Lautformen geachtet (stunden—bunden—kömmt—versammlet—Hülfe—darzu).

Textwiederholungen, die Bach häufig nur durch das Zeichen ∕∕ andeutete, werden ausgeschrieben.

H. G.

J. S. BACH: CANTATA 137

«Praise the Almighty, our King and our Ruler Exalted»

Bach based all movements of the cantata «Praise the Almighty, our King and our Ruler Exalted» on the melody and text of the chorale which bears the same title, and in this way he created a festive and powerful work of comparatively short duration which ought to receive far greater attention from the choral conductors of our day.

In the introductory chorus the *cantus firmus* appears in the soprano, whilst the other three parts support it in fugal style without any derivation from the chorale melody. In the orchestral texture Bach utilises the theme of these three lower chorus parts with slight deviations. But he only treated three of the five lines of the chorale text in this way: Surprisingly enough, the third and fourth lines *(«Strike strong the strings, psalter and harp to His praise»)* are not treated in this fugal style, but are sung in a plain chorale setting in mighty chords. This is one of the rare cases in which Bach, for the sake of describing one single idea, abandons his fundamental musical conception in the middle of a chorus. The second verse is then set as an alto aria with a solo violin: The varied chorale melody lies in the alto, whilst the solo violin plays lively figurations around it. (Bach also transcribed this piece for organ, and under the title «Kommst du nun, Jesus, vom Himmel herunter» it is included in the so-called «Schübler Chorales» as No. 6. It is of interest that in this transcription the second bar is an alteration and improvement of the original.) Verse 3 is a duet for soprano and bass to the accompaniment of two oboes. The connections of the vocal parts with the original chorale melody in this serious section are manifold and varied: At first the augmented first line of the chorale, transposed into the minor key, is still clearly recognisable, and it has also had a strong influence on the formation of the melodic line to the words *«to our dire need gracious God ever gives heed».*

Whereas verses 2 and 3 were based on a *variation* of the chorale melody, verse 4 brings it again in its original version as a *cantus firmus* in the trumpet. This instrumental *cantus firmus* is opposed by an independent play of motives in the vocal part and the *basso continuo,* and the greatest strength of expression lies, not in the vocal part, but in the overruling majesty of the ostinato-like *continuo.* The fifth verse, in seven-part harmony of three trumpets and four-part chorus of great harmonic simplicity, gives a noble and dignified ending to the cantata. With minor alterations, and transposed to D-major, Bach has used this final chorale for a second time in the wedding cantata «Herr Gott, Beherrscher aller Dinge» (BWV 120a) which has only been preserved incompletely.

We only possess ten cantatas in which Bach decided to forego the customary cantata libretto and based all movements on the unchanged text of the chorale verses. Apart from the present work, they are the cantatas

No.   4 «Christ Lay in Death's Dark Prison»
No. 97 «In All That I am Doing»

No. 100 «What God Does is With Reason Done»
No. 107 «Oh, why such Sad Behaviour»
No. 112 «The Lord My God My Shepherd Is»
No. 129 «All Glory to the Lord, Our God»
No. 177 «I Cry to Thee, Lord Jesus Christ»
No. 192 «Now Thank We All Our God»

It is, of course, no longer possible for us to discover whether Bach considered this omission of a specially written text for arias and recitativos as a mere matter of necessity. Again and again, in the literature about Bach, we find mention being made about the problematical aspect of this type of cantata composition. Spitta, in his Bach biography (Vol. II, pg. 289) writes as follows: «Over a period of time it must have become apparent to Bach that there were serious doubts involved in this treatment of the church hymn and the chorale melody. Even though he kept reverting to this type of composition at intervals, a glance at his later output shows us nevertheless that we must regard the above-mentioned cantatas as the outcome of experimental and transitional processes — as works beyond which there lay a more perfect form.» In the same vein Alfred Heuss, in his introduction to the cantata in the «Kieler Bachfestbuch 1930» (pg. 59), writes: «One could say that, for one reason or another, Bach was experimenting, but with the result that eventually he abandoned this type of cantata composition. It consists in the main in Bach taking the whole of a church chorale, retaining the text as an entity and more or less adhering to the chorale melody in one form or another. Thereby the verses of the hymn also take the place of aria texts (there are no recitativos), but this does not solve the problem in most cases owing to the basic difference between a hymn and an aria text: Hymn and aria texts are of such contrast that they affect the compositional style even of Bach. Quite apart from this, text and melody fetter the free rein of phantasy to such an extent that Bach could never achieve that freedom which, from the nature of his character, was an essential element of his arias. It must be admitted that the florid and flowery language of that time corresponded to Bach's innate needs.»

Despite all these objections, however, I would like to point out that just for our day and age these ten cantatas, strictly tied to the chorale texts as they are, are of supreme importance, for it is just those free librettos with all their oft-mentioned weaknesses and lack of good taste which are a special obstacle to the propagation of various of Bach's cantatas. Especially in this present cantata «Praise the Almighty, our King and our Ruler Exalted» it appears to me that the close adherence to the chorale text did not impose any shackles on Bach: On the contrary, I rather have the impression that he regarded it as a welcome challenge to have the additional tie of the chorale melody (as well as that of the chorale text) and thereby to create a five-part chorale cantata, freely using the chorale melody in such a way that it is ever present in all parts, be it vocally or instrumentally, be it in its original form or with ornamentations and variations.

The cantata was first published in 1881 by Wilhelm Rust in Vol. XXVIII of the Old Complete Edition of Bach's works, and so far it has not been issued in the New Bach Edition. For the present miniature score the original parts were once again consulted, the original score being lost. These parts are in the possession of the Thomas School in Leipzig (at present in the keeping of the Leipzig Bach Archives), and their assistance in placing these parts at my disposal is herewith gratefully acknowledged.

Spitta (Vol. II, pg. 286) allocates the year 1732 to this cantata as its date of composition, but Wilhelm Rust in his foreword to the Old Bach Edition (pg. XXI) contradicts this assumption most emphatically and places the composition of Cantata 137 in the years between 1742 and 1747. According to the latest researches, which Alfred Dürr published in the Bach Year-Book 1957 (pg. 82 and pg. 118), the cantata was composed in 1725 and had its first performance on the 12th Sunday after Trinity, 19th August, under Bach's own direction. An entry on the 1st oboe part in Bach's own aged handwriting is proof of a further performance between the years 1744 and 1750; but I could not find any authentic documentation for the frequently made statement that Bach also used this work as a Council Election Cantata.

Hans Grischkat

General remarks on the revision of the Bach Cantatas

These present miniature scores are designed for practical use and are not a musicological edition. For this reason all vocal parts are printed in the treble and bass clef, or in the treble clef at the octave.

External differences of notation (♪♩♪♩ for ♩♪♪♩ and similar instances) are treated in uniform manner without detailed comment.

Phrasing marks and ornaments, when necessary by reason of analogy, are added in brackets.

Accidentals (♯ ♭ ♮) are placed in accordance with present day usage. Repetions of recurring accidentals within the same bar, however, are frequently adhered to, as this is also advisable for practical reasons.

The German texts are reproduced in modern spelling, but much attention is given to the retention of old forms of words and vowels.

Repetitions in the text, which Bach often merely indicated by the sign ✗ , are printed in full.

Hans Grischkat

Lobe den Herren, den mächtigen König der Ehren

Dominica 12 post Trinitatis

Johann Sebastian Bach
1685-1750

No. 1059

EE 6164

4

6

21

Tr.
(C)

Tim.

Ob.

Vl. I

Vl. II

Vla.

S.

A.

ren,   lo - - - - - be,   lo - -
ted,   praise _____   ye,   praise - -

T.

Her - ren, den mäch - ti - gen Kö - nig der   Eh - - - - - -
migh - ty, our King   and our Ru - ler ex -   al - - - - - -

B.

Lo - - - - be,   lo - - - - - be den
Praise _____ ye,   praise _____ the Al -

C.

6   5   6   6
               4   5
               2

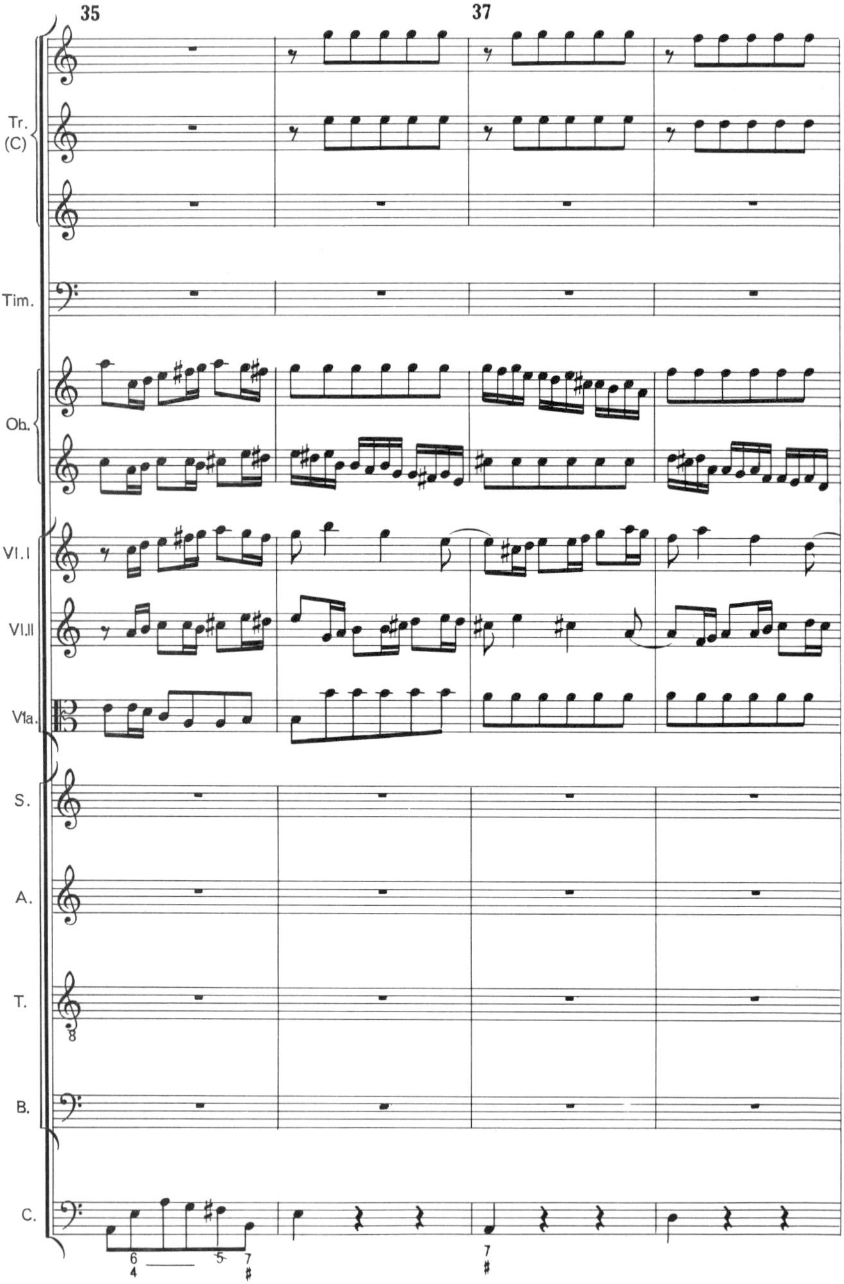
35
37
Tr.
(C)
Tim.
Ob.
Vl. I
Vl. II
Vla.
S.
A.
T.
B.
C.
6
4
5
7
♯
7
♯

14

16

18

22

las — set die   Mu - si-cam hö — — — — ren, las - set die Mu-si-cam
mu — sic   and   songs of re-joi — — — — cing, mu- sic and songs of re-

las — set die   Mu - si-cam hö — — — — ren, las - set die Mu-si-cam
mu — sic   and   songs of re-joi — — — — cing, mu- sic and songs of re-

Aria (Vers 2) (Der Cantus firmus „Lobe den Herren" im Alt)

26

Fit - - ti-gen si - cher __ ge - füh - - - -
bears us with Him __ to __ Sal - va - - - -

ret,
tion.

der dich er - - hält
He is our Guide

wie es dir sel - ber ge -
what we need He will pro -

fällt;
vide;

30

E.E .6164

Aria (Vers 4) (Der Cantus firmus „Lobe den Herren" in der Trompete)

1) siehe Vorwort

40

E.E.6164

Choral (Vers 5) Der Cantus firmus „Lobe den Herren" im Sopran

42